COLLECTION SIGNÉ

Une signature. Par ces quelques traits, les artistes concluent leurs œuvres. Elle est la preuve de leur engagement, de la sincérité de leur création et de la paternité de leur discours. La collection Signé veut rassembler des romans graphiques personnels, exigeants : des œuvres d'auteurs.

Ouvrages déjà parus

Signé ANDREAS
La Caverne du Souvenir

Signé ARMAND et DUBOIS
Sykes

Signé BABOUCHE, DORISON et HERZET
Le Chant du Cygne
Tomes 1 et 2

Signé BLARY et LOISELET
20 ans de guerre

Signé BOUCQ et CHARYN
Bouche du Diable
La Femme du magicien
Little Tulip

Signé CLARKE
Nocturnes

Signé CONSTANT
Rue des Chiens Marins

Signé COSEY
À la recherche de Peter Pan
Zélie nord-sud

Signé DANY et VAN HAMME
Histoire sans Héros
Vingt ans après

Signé EFA et JOUVRAY
Le Soldat

Signé FOERSTER et ANDREAS
Styx

Signé FOLLET et DUCHÂTEAU
Terreur

Signé FOURQUEMIN et DERRIEN
Miss Endicott
Tomes 1 et 2

Signé FRANZ
Irish Melody
Shamrock Song

Signé GRENSON
La Douceur de l'enfer
Tomes 1 et 2

Signé GRIFFO et COTHIAS
La Pension du Docteur Eon

Signé HAUSMAN et DUBOIS
Capitaine Trèfle

Signé HAUSMAN et RODRIGUE
Le Chat qui courait sur les toits

Signé HERMANN
Afrika
Caatinga

Signé HERMANN et YVES H.
Manhattan Beach 1957
The Girl from Ipanema
Liens de Sang
Station 16
Sans Pardon
Old Pa Anderson

Signé JUILLARD et YANN
Mezek

Signé KAS et GALANDON
La Fille de Paname
Tomes 1 et 2

Signé LABIANO, LE TENDRE et RODOLPHE
Mister George

Signé LEFEUVRE
Tom et William

Signé MAGDA et MARVANO
Les Petits Adieux

Signé MEYER, GAZZOTTI et VEHLMANN
Des Lendemains sans Nuage

Signé ROSINSKI et VAN HAMME
Western

Signé SALSEDO, JOUVRAY et SALSEDO
Nous ne serons jamais des héros

Signé WARNAUTS et RAIVES
L'innocente
Les Temps Nouveaux
Tomes 1 et 2
Après-guerre
Tomes 1 et 2
Les Jours Heureux
Tome 1

Signé WILL & CO et RUDI MIEL
L'Arbre des deux Printemps

http://www.hermannhuppen.com/
https://www.facebook.com/HermannBD

© HERMANN / Yves H. /
ÉDITIONS DU LOMBARD
(DARGAUD-LOMBARD S.A.) 2016

D/2016/0086/034
ISBN 978-2-8036-3669-3

R 02/2016

Conception graphique : Eric Laurin
Dépôt légal : janvier 2016
Imprimé en Belgique par Lesaffre

LES ÉDITIONS DU LOMBARD
7, AVENUE PAUL-HENRI SPAAK
1060 BRUXELLES - BELGIQUE

PEFC-Certifié
Ce produit est issu de forêts gérées durablement et de sources contrôlées.
PEFC/07-31-184   www.pefc.org

OLD PA ANDERSON

SIGNÉ

HERMANN
YVES H.

Old Pa Anderson

LE LOMBARD

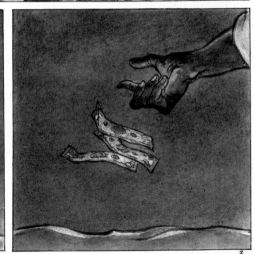

SALUT, OLD PA,
À LA PROCHAINE
...

FILE! ALLEZ, OUSTE!

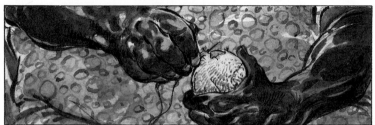

TIENS, TE REVOILÀ, TOI. JE ME DEMANDE BIEN OÙ TU ES ENCORE ALLÉ TRAÎNER?

BAH... JE PRÉFÈRE NE PAS ENTENDRE TA RÉPONSE, TU T'ARRANGERAS AVEC NOTRE SEIGNEUR!...

OOIIINK

HEY! VOUS LÀ'! POUVEZ PAS SURVEILLER VOS LARDONS ?! PAS DE DÉSORDRE SUR LA VOIE PUBLIQUE !

P... PARDON, OFFICIER, ÇA N'ARRIVERA PLUS, JE VOUS LE PROMETS ...

VENEZ, LES ENFANTS !

LA PROCHAINE FOIS JE VOUS COFFRE.

SALETÉS DE NÉGROS !

SALUT, JOE !

SALUT, BUZZ !

T'AS FINI TA TOURNÉE ? TU PRENDS UNE BUD' ?

FINI ?... PAS COMPLÈTEMENT, MAIS TU PEUX M'EN SERVIR UNE, ÇA ME F'RA PAS DE TORT.

JE VIENS DE RECADRER UNE FAMILLE DE NÉGROS...Y ME RENDENT MALADE...

BEN, C'EST À CAUSE DE CES SALES COMMUNISTES QUI LEUR BOURRENT LE CRÂNE AVEC DES IDÉES DE MERDE ! APRÈS ÇA, Y S'CROIENT TOUT PERMIS !

Z'ONT BESOIN D'UNE SÉRIEUSE REMISE AUX NORMES. OUAIS, UN VRAI BON RECADRAGE, COMME DANS LE TEMPS.

ALLEZ, FAUT QUE J'Y AILLE, DEUX PROCÈS-VERBAUX À RÉDIGER AU BUREAU.

BEN, ALORS À DEMAIN, BUZZ.

OUAIS, C'EST ÇA, À DEMAIN, JOE !

9

MONTE!.... **MONTE!**

QUOI, TU ES SOURDE ?!
MONTE TOUT DE SUITE OU JE
TE COFFRE !

ON VA FAIRE UNE PETITE BALADE TRANQUILLE... TU VERRAS...

ARRÊTE DE CHIALER OU JE TE COGNE !

ET VOILÀ !... C'EST ICI... PARFAIT.

ÉCOUTE BIEN, LA BRONZÉE. SI TU PARLES DE CECI AUTOUR DE TOI, JE TE GARANTIS QUE TA FAMILLE DE MACAQUES AURA DE SÉRIEUX ENNUIS. TU AS ENTENDU ?

MAINTENANT QUE TOUT EST CLAIR, TU VAS ÊTRE GENTILLE ET FAIRE TOUT CE QUE JE TE DIS.

8

OUAIS...

ALLEZ, DÉGAGE ! ET N'OUBLIE PAS, T'AS INTÉRÊT À LA FERMER !

JE SUIS
DE RETOUR.

AH... QUAND
MÊME.

ELLE EST FRAÎCHE,
AU MOINS ?

QU'EST-CE QUE T'AS À M'REGARDER ?... C'EST PAS ÇA QUI FERA AVANCER LE REPAS, MOM'.

9

TU NE MANGES PAS, OLD MA ?...

NON, JUSTE UN P'TIT MALAISE, OLD PA...
JE CROIS... QU'JE VAIS ALLER M'ALLONGER
UN PEU...

TU VEUX QUE J'AILLE
CHERCHER LE DOCTEUR ?

N... NON...
ÇA IRA.

15

To my beloved wife
Margareth Anderson
1881
1952

ALLEZ... VIENS, OLD PA. TU VAS ATTRAPER DU MAL À RESTER COMME ÇA SOUS LA PLUIE.

C'EST LE CHAGRIN QUI L'A TUÉE, OTIS.

ELLE LE CACHAIT ET JE NE VOULAIS PAS VOIR...

JE N'AI RIEN FAIT, OTIS... NI POUR ELLE, NI POUR LA P'TITE. ELLE N'A PAS SUPPORTÉ...

C'EST LE BON DIEU QUI L'A RAPPELÉE ET LUI SEUL SAIT POURQUOI.

SI J'AVAIS FAIT QUELQUE CHOSE POUR LA P'TITE, PEUT-ÊTRE QUE L'BON DIEU ME L'AURAIT LAISSÉE ENCORE UN PEU.

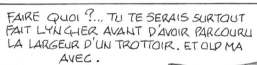

FAIRE QUOI ?... TU TE SERAIS SURTOUT FAIT LYNCHER AVANT D'AVOIR PARCOURU LA LARGEUR D'UN TROTTOIR. ET OLD MA AVEC.

ON N'EST JUSTE QUE DES NÈGRES DU MISSISSIPPI.

14

18

SALUT, OTIS.

TU VOIS, J'T'APPORTE DU CORNBREAD PRÉPARÉ PAR EMMA. J'AI PENSÉ QU'ÇA POURRAIT ÊTRE UTILE...

BEN, MERCI, OTIS. TU PRENDS UNE TASSE DE CAFÉ ?

BEN, J'VOIS PAS DE REFUS.

ÇA NE VAUDRA PAS CE QU'OLD MA PRÉPARAIT. FAUDRA QUE TU T'EN CONTENTES.

ENFIN... C'EST CHAUD.

EN RÉALITÉ, J'SUIS PAS VENU QUE POUR LE CORNBREAD... CE QUE TU M'AS DIT HIER M'A TROTTÉ DANS LA TÊTE TOUTE LA NUIT...

J'AI HÉSITÉ... MAIS VOILÀ. LE JOUR OÙ LA P'TITE A DISPARU... LOUISE, LA FILLE D'EMMET, ELLE AURAIT VU QUELQUE CHOSE...

J'EN SAIS PAS PLUS MAIS TU DEVRAIS ALLER LA VOIR...

16

POURQUOI NE PAS M'EN AVOIR PARLÉ PLUS TÔT ?

J'VOULAIS PAS D'EMMERDES... ET PUIS, QU'EST-CE QUE Ç'AURAIT CHANGÉ ?...

VOILÀ, C'EST SORTI. J'AI DIT C'QUE JE DEVAIS DIRE. LE RESTE, C'EST PAS MES OIGNONS...

TU DIS A' PERSONNE QU' C'EST MOI QUI T'EN AI PARLÉ. ALLEZ, JE FILE, SINON EMMA VA S'INQUIÉTER...

A' PROPOS, TON CAFÉ, C'EST DE LA MERDE.

...JE NE SAIS PAS,... JE... QUI VOUS A DIT ÇA, MAIS C'EST FAUX. J'SUIS DÉSOLÉE. JE NE VOUS SUIS D'AUCUNE AIDE, M'SIEUR ANDERSON.

...

CROYEZ-MOI ... C'EST BIEN TRISTE CE QU'EST ARRIVÉ À VOT' PETITE-FILLE, MAIS TOUT CE QUE J'PEUX FAIRE, C'EST DE PRIER POUR ELLE.

TANT PIS... BONNE JOURNÉE, LOUISE.

BONNE JOURNÉE, M'SIEUR ANDERSON.

C'EST UNE FORT JOLIE FILLE QUE VOUS AVEZ LÀ, LOUISE. J'ESPÈRE QUE JAMAIS VOUS NE VIVREZ CE QUE NOUS AVONS VÉCU ...

18

LO RED CAFÉ

ICE

M'SIEUR ANDERSON... VOULEZ-VOUS TOUJOURS UNE RÉPONSE À VOT'QUESTION ?

MAIS ASSEYEZ-VOUS, LOUISE... JE... VOUS BUVEZ QUELQUE CHOSE ?

NON. MERCI.

ÉCOUTEZ... JE NE SAIS PAS POURQUOI JE ME R'TROUVE ICI À VOUS PARLER... ALORS NE M'INTERROMPEZ PAS, CAR JE POURRAIS CHANGER D'AVIS AUSSI SEC.

JE ME SOUVIENS TRÈS BIEN DE CET APRÈS-MIDI-LÀ... IL Y A HUIT ANS. JE PRENAIS LE RACCOURCI VERS LA ROUTE 22. Y AVAIT PERSONNE ALENTOUR, QUAND J'AI ENTENDU DES VOIX. DES VOIX DE BLANCS...

ILS PARLAIENT FORT. J'AI PRIS PEUR, ALORS J'ME SUIS CACHÉE. C'EST ALORS QU'J'AI APERÇU UNE VOITURE ARRÊTÉE. LES BLANCS QU'ÉTAIENT DEDANS AVAIENT APOSTROPHÉ UNE FILLE SUR LE TROTTOIR. UNE NOIRE. C'ÉTAIT LIZZIE, VOT'P'TITE-FILLE, M'SIEUR ANDERSON.

¹⁹

... J'AI PAS COMPRIS C'QU'ILS DISAIENT, MAIS BIEN C'QU'ILS VOULAIENT. ILS VOULAIENT QU'ELLE MONTE DANS LA VOITURE. ELLE REFUSAIT, ET ÇA LES ÉNERVAIT.

ELLE A ESSAYÉ DE S'ENFUIR, CAR UN DES HOMMES EST SORTI D'LA VOITURE. IL L'A RATTRAPÉE ET FORCÉE À ALLER AVEC LUI SUR LA BANQUETTE ARRIÈRE. ENSUITE, LA VOITURE A DÉMARRÉ.

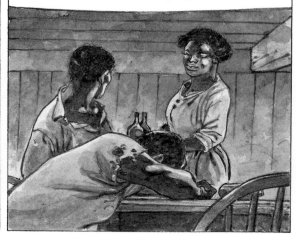

ILS ÉTAIENT TROIS, JE CROIS. J'AI PAS VU LE VISAGE DES DEUX HOMMES À L'AVANT... MAIS J'AI RECONNU L'HOMME À L'ARRIÈRE, ÇA OUI.

...

M'SIEUR ANDERSON... VOUS M'PROMETTEZ QUE VOUS GARD'REZ ÇA POUR VOUS ET QUE J'AURAI PAS A' PÂTIR DE C'QUE JE VAIS DIRE ?

VAS-Y, PARLE... PARLE !...

BON... CET HOMME... IL TRAVAILLE AU GARAGE TULSA, AU COIN D'MAIN ET WALNUT. PAS LE VIEUX, LE JEUNE. J'CROIS QU'Y S'FAIT APPELER DIXIE.

VOILÀ, C'EST TOUT CE QUE J'AVAIS A' DIRE. AU REVOIR, M'SIEUR ANDERSON.

M'SIEUR ANDERSON...

J'ESPÈRE BIEN QU'J'AI PAS FAIT UNE GROSSE BÊTISE, M'SIEUR ANDERSON.

20

24

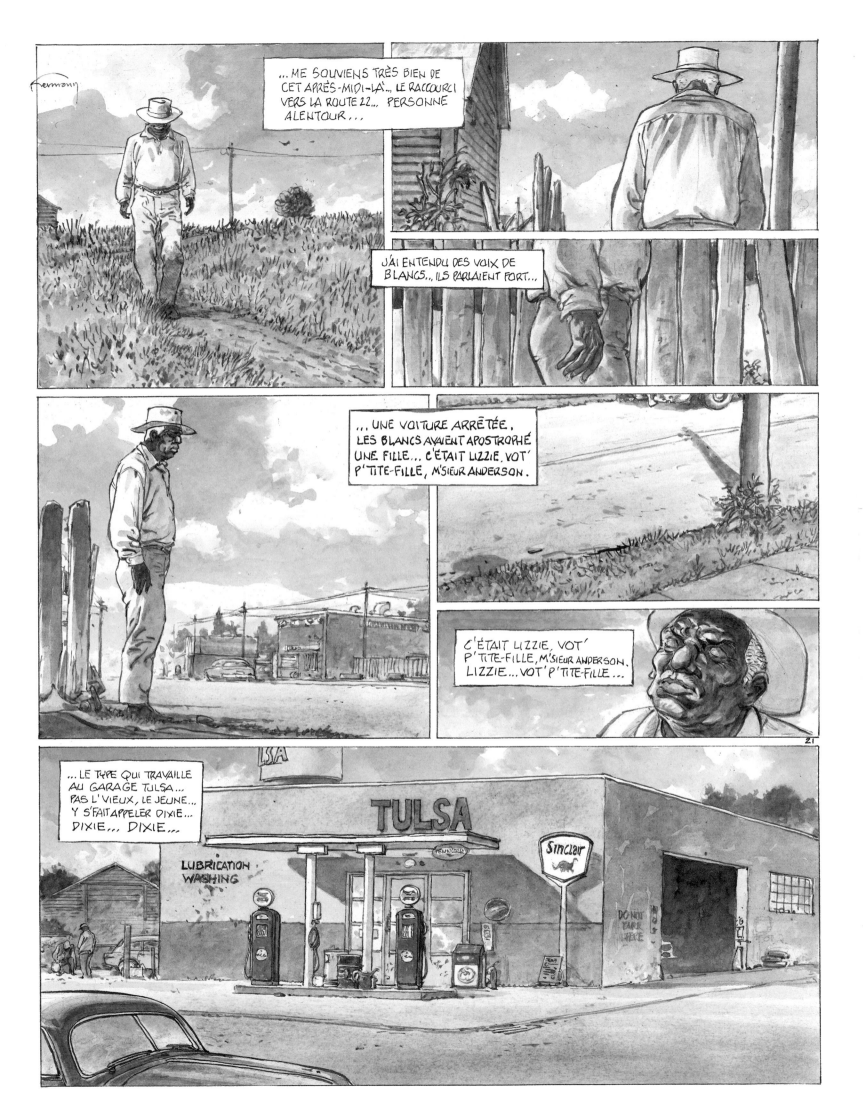

GARAGE

TULSA

DIXIE !

DIXIE, M'SIEUR ROBERTS VEUT SAVOIR S'IL PEUT RÉCUPÉRER SA VOITURE ?

OUAIS, J'FAIS LES DERNIERS RÉGLAGES ET ELLE EST À VOUS, M'SIEUR ROBERTS.

VOILÀ, M'SIEUR ROBERTS, ELLE EST COMME NEUVE !

SUPERBE TRAVAIL, DIXIE. LE MOTEUR RONRONNE COMME UN MATOU !

HÉ, C'EST QU'IL EST BON, MON MÉCANO.

BON, J'AI FINI MA JOURNÉE. À D'MAIN, SAM.

O.K. DIXIE. À D'MAIN.

22

BON... IL ME RESTE DES CORNICHONS ET...

?...

AOUFF!

HÉ! QU'EST-CE QUE TU VEUX ?... DU FRIC !...

PUTAIN DE NÉGRO! C'EST À QUOI QUE TU JOUES !?

SURTOUT, NE BOUGE PAS!

T'ES DINGUE! MAIS ARRÊTE! AHH... STOP!

27

MAINTENANT, J'ÉCOUTE! QU'EST-CE QUI S'EST PASSÉ AVEC MA PETITE-FILLE, LIZZIE?

JE... J'SAIS PAS DE QUOI TU CAUSES, NÉGRO! ET TU M'AS CASSÉ LE BRAS!... AH!... AÏE!...

ELLE N'AVAIT QUE SEIZE ANS QUAND ELLE A ÉTÉ KIDNAPPÉE PAR DES BLANCS, DANS UNE VOITURE...

POURQUOI TU ME RACONTES ÇA, NÉGRO?

ÇA FAIT HUIT ANS QU'ELLE A DISPARU... ET QUE TU EN ÉTAIS!

QUI T'A DIT ÇA, LE VIEUX?

...ET QUI QUI T'A DIT ÇA, C'EST UN MENTEUR! J'AI RIEN À' VOIR LÀ-DEDANS!

EH BIEN MOI, JE VAIS TE RAFRAÎCHIR LA MÉMOIRE!... JE SAIS QUE TU ÉTAIS DANS CETTE VOITURE ET QUE C'EST TOI-MÊME QUI AS FORCÉ LIZZIE À'... À' EMBARQUER!...

LE CORPS? QU'AVEZ-VOUS FAIT DU CORPS?

AÏE, MON BRAS!... SUIT!!!

ÇA FAIT MAL, HEIN, PETIT BLANC?... MAIS SÛREMENT PAS AUTANT QUE CE QUE MA PETITE-FILLE A DÛ ENDURER!

ARRH! AHH!

PUTAIN DE NÉGRO! TU CROIS QUE TU M'IMPRESSIONNES?... J'EN AI RIEN À' FOUTRE DE TA GAMINE DE MERDE!... FICHE LE CAMP!

NÉGRO!

NON!! AARH!... ARRÊTE!

O... OKAY!... OUAIS! ELLE EST MORTE! MAIS C'ÉTAIT UN ACCIDENT. APRÈS, J'SAIS PAS C'QU'ILS ONT FAIT D'ELLE... J'SAIS PAS... JURÉ!

24

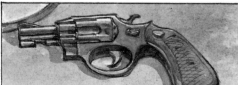

HEY, TOI, QU'EST-CE QUE TU FAIS DANS CE QUARTIER À CETTE HEURE?

JE... JE REVIENS DES CHAMPS ET JE RENTRE CHEZ MOI. Y AVAIT PLUS DE PLACE DANS L'PICK-UP, M'SIEUR.

ALLEZ, MONTE À L'ARRIÈRE, JE TE RECONDUIS.

EST-CE QUE TU TE RENDS COMPTE DU RISQUE QUE TU AS PRIS? LES GENS D'ICI N'AIMENT PAS VOIR DES NOIRS DANS LE QUARTIER LE SOIR.

27

TU AS SANS DOUTE DES PETITS-ENFANTS. TU FERAIS MIEUX DE RESTER CHEZ TOI ET DE VEILLER SUR EUX.

OUI, M'SIEUR.

QUE JE NE TE REVOIE PLUS TRAÎNER LE SOIR DANS CES RUES. CETTE VILLE EST CALME ET JE TIENS À CE QU'ELLE LE RESTE. COMPRIS?

OUI, MERCI, M'SIEUR.

28

OUAIS...
C'EST ÇA...

...TU DEVRAIS
DIRE À TON PÈRE
DE S'MÊLER DE
C'QUI LE REGARDE.

PAPA SAIT DE QUOI IL PARLE,
CHIP. TU FERAIS BIEN DE L'ÉCOUTER.

ALORS, J'LUI
DIRAI MOI-MÊME
C'QUE J'EN PENSE
...

SHIT!... C'EST
QUOI CE...

AAH!

LA FERME!..., ON NE BOUGE
PAS! ÇA VAUT AUSSI POUR
VOUS, MADAME!

ET ÇA RISQUE
DE PAS LUI PLAIRE
...
?

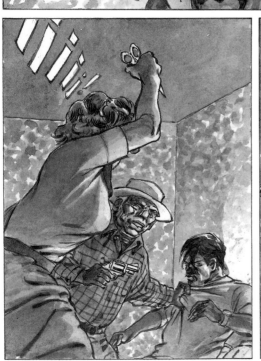

35

BOM
BOM

BUZZ!

MERDE, LES GARS, Z'AVEZ VU L'HEURE ?

BUZZ !... Y A DE QUOI !... TON FRANGIN ET TA BELLE-SŒUR SE SONT PRIS DES BALLES DANS LE BUFFET. SONT DANS UN SALE ÉTAT.

HEIN ?

MAIS AVANT D'ÊTRE EMMENÉ A' L'HOSTO, TON FRÈRE A PARLÉ... C'EST UN NÉGRO QUI A FAIT LE COUP ! ÇA VALAIT QU'ON TE LE DISE, NON ?

ALORS ?... PARTANT POUR LA CHASSE ?

CETTE ORDURE VA ESSAYER DE REGAGNER SON QUARTIER A' RATS PAR L'EST. FAUT LE RATTRAPER AVANT !

T'INQUIÈTE, ON VA LE CHOPER. ON LE FERA PAYER !

LA !... VOILA BILL ET LES AUTRES !

NON... TOUJOURS PERSONNE.

ÇA NE CHANGERA RIEN ! ON LE TROUVERA ! IL EST SÛREMENT PAR ICI.

33

ALORS, CONTINUE TA RONDE. NOUS ON RESTE DE CE CÔTÉ.

O.K.

HÉ LÀ, TOI!
QU'EST-CE QUE
TU FICHES DANS
LE QUARTIER
?

HEY! C'EST À
TOI QUE JE PARLE!
TU M'ENTENDS?

ARRÊTE-TOI
OU J'APPELLE
LA POLICE!

MAGNEZ-VOUS LE TRAIN ! IL FAUT CHOPER CE FILS DE PUTE !

JOEY, FILE PRÉVENIR BILL ET LES AUTRES. DIS-LEUR DE SE DIRIGER VERS LE SUD, ON VA PRENDRE CE SALAUD EN TENAILLES!

O.K.

EH MERDE... PAS EUX !

O.K., LES GARS, FIN DE LA FÊTE. VOUS RENTREZ CHEZ VOUS. NOUS REPRENONS LES CHOSES EN MAIN.

DÉSOLÉ, ON NE RENTRE PAS CHEZ NOUS TANT QUE CE SALOPARD DE NÉGRO COURT TOUJOURS. ÇA NE VOUS REGARDE PAS. C'EST NOTRE AFFAIRE !

C'EST À LA POLICE DE RÉGLER CETTE HISTOIRE, SCOTTIE.

36

ALORS... ARRÊTEZ-NOUS, SERGENT !

40

41

PAR LA !!

LE WHITE CREEK.
P'T-ÊTRE QU'IL EST
LA'-DEDANS ?

BEN... POUR BIEN
FAIRE, FAUDRAIT
DESCENDRE...

ET SE MOUILLER
LES FRINGUES ?

ÇA S'RA PAS NÉCESSAIRE.
FATTY, ÉCLAIRE LE DÉCOR !

ALLEZ, TOUS
LES TROIS !

BANG
BANG
BANGBANG
BANG
NG

STOP! ARRÊTEZ LE TIR! SI ÇA SE TROUVE, ON EST EN TRAIN DE VIDER NOS CHARGEURS POUR RIEN! ON PERD DU TEMPS!

ET S'IL ÉTAIT MORT?... LÀ-DESSOUS...

ON L'AURAIT ENTENDU BOUGER, GIGOTER. IL FAUT CONTINUER A' CHERCHER ET SI ON NE LE TROUVE PAS, ON REVIENDRA ICI POUR VÉRIFIER A' LA LUMIÈRE DU JOUR.

DEMAIN? OUAIS... ÇA SE TIENT.

HEY, BUZZ! C'ÉTAIT QUOI, CES COUPS DE FEU? VOUS L'AVEZ EU?

FAUSSE ALERTE, MAIS ON L'AURA, CE NÉGRO DE MERDE! ON POURSUIT, CHACUN DE SON CÔTÉ!

FAUSSE ALERTE, C'EST TOUT CE QUE T'AS TROUVÉ, BUZZ?

TIENS MIEUX LA TORCHE, FATTY. FICHE-MOI LA PAIX!

H...HHH...

43

MMH... VILAINE BLESSURE. POUR LES MIRACLES, FAUDRA D'MANDER AU BON DIEU, MAIS J'PEUX FAIRE BAISSER LA FIÈVRE ET NETTOYER LA PLAIE...

HHSHH...

COMMENT T'AS RÉUSSI À T'FAIRE ÇA ?

DEMANDE À TON MARI, EMMA. C'EST LUI QUI M'A PARLÉ D'LOUISE, LA FILLE D'EMMET, ET QU'ELLE SAVAIT QUELQUE CHOSE. IL DEVRAIT AVOIR COMPRIS, PAS VRAI, OTIS ?

QU'EST-CE QU'Y A À COMPRENDRE, OLD PA ?... JE T'AI JUSTE CONSEILLÉ D'ALLER LUI PARLER, À CETTE FILLE, C'EST TOUT. MAIS BON DIEU, OLD PA, QU'EST-CE QUE T'AS FICHU ?!

J'TE L'AI DIT, OTIS, QUE JE VOULAIS RETROUVER LA P'TITE, ET QUE J'FERAIS TOUT POUR Y ARRIVER...

AÏE !...

MAIS, RESTE TRANQUILLE !

J'AI ABATTU MES DEUX PREMIÈRES CARTES... IL M'EN RESTE UNE, LA DERNIÈRE. J'LA JOUE DEMAIN ET J'PEUX PAS LA RATER. C'EST MA DERNIÈRE CHANCE.

QUOI ?! TU VEUX DIRE QUE LES VOITURES DU SHÉRIF, LES SIRÈNES, TOUT ÇA... C'EST POUR TOI ?

TU ES RECHERCHÉ PAR LES FLICS ET TU VIENS FRAPPER À NOT' PORTE... TU T'RENDS COMPTE DU RISQUE QUE TU NOUS FAIS COURIR ? FICHE LE CAMP IMMÉDIATEMENT !

DEHORS !

NON.

NON, OTIS. JE NE LAISSERAI PERSONNE S'DRESSER EN TRAVERS D'MON CHEMIN. PAS MÊME TOI, OTIS.

43

TU VAS LAISSER TERMINER EMMA. ENSUITE, J'PARTIRAI, ET PLUS JAMAIS J'VOUS CAUSERAI DES SOUCIS.

DÉSOLÉ, OLD PA, MAIS C'EST MIEUX QUE TU NE REVIENNES PLUS.

T'INQUIÈTE PAS, OTIS. TU NE ME REVERRAS PLUS. MERCI À TOUS LES DEUX. ADIEU !

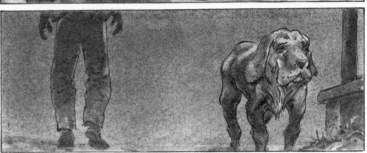

OUAIS... C'EST ICI QU'ON L'A MITRAILLÉ. Y EST PAS. SHIT !

SHIT ! SHIT !

C'EST MOI QUE TU CHERCHES, BLANCHE-NEIGE ?

SI TU CROIS QUE JE RIGOLE, VA DEMANDER A' TON FRANGIN ET A' DIXIE CE QU'ILS EN PENSENT.

DIXIE ?

OUI, DIXIE. EXACT. ET MAINTENANT, TU VAS PRENDRE TON FLINGUE ENTRE LE POUCE ET L'INDEX ...

45

...ET M'LE JETER A' CÔTÉ DE MOI SUR LA BANQUETTE ARRIÈRE... DOUCEMENT...

PARFAIT, MAINTENANT, DÉMARRE...

49

CENTRALE À VOITURE 10-12, CENTRALE À VOITURE 10-12... HEY, BUZZ, TU ME REÇOIS ?

RÉPONDS... TOUT EST NORMAL. N'ESSAYE PAS DE JOUER AU PLUS MALIN.

VOITURE 10-12 À CENTRALE. ICI BUZZ.

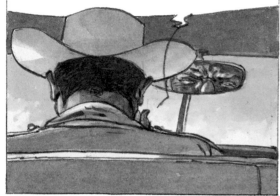

SALUT, BUZZ. J'AI UNE NOUVELLE QUI NE VA PAS TE PLAIRE. LE VIEIL ALFIE DU GARAGE TULSA A DÉCOUVERT LE CORPS DE DIXIE CHEZ LUI... UN MASSACRE, MEC. VOUS ÉTIEZ TRÈS POTES AVEC LUI, TON FRÈRE ET TOI, JE CROIS.

LE SERGENT BRAGG VOUDRAIT TE PARLER. IL A VU UN NÈGRE HIER SOIR ERRER TOUT PRÈS DE LÀ. IL PENSE QUE C'EST LE MÊME HOMME QUI A TIRÉ SUR TON FRÈRE ET QU'IL Y A PEUT-ÊTRE UN LIEN AVEC TOI.

TU LE TROUVERAS CHEZ DIXIE, BUZZ ?... JE NE T'ENTENDS PAS. T'ES SÛR QUE ÇA VA ?...

OUI... OUI... O.K., JE VAIS ALLER LUI PARLER.

46

BIEN !... MAINTENANT QUE T'AS COMPRIS POURQUOI JE SUIS LÀ, DERRIÈRE TOI, ET QUE TU SAIS CE QUE JE VEUX, TU VAS ME CONDUIRE LÀ OÙ REPOSE LA PETITE !...

POURQUOI JE FERAIS ÇA, TU VAS QUAND MÊME ME FLINGUER ?

TU VERRAS BIEN. ROULE !

SERGENT BRAGG !

C'EST... LA'... LA-BAS, ON EST ARRIVÉS.

...JE VIENS DE RECEVOIR UN APPEL RADIO. UNE DE NOS VOITURES A APERÇU BUZZ COBBS FILER VERS LE NORD SUR LA 251 AVEC UN HOMME DE COULEUR SUR LA BANQUETTE ARRIÈRE.

QUOI ?! SUR LA 251, TU DIS ?

JE... JE CROIS QUE C'EST ICI ...

CREUSE !

AVEC QUOI ?... JE,,, JE N'AI PAS DE PELLE ...

AVEC TES MAINS !...TES PIEDS ! AVEC TES DENTS ! CREUSE !

47

SHIT !... JE... JE SAIGNE !...

CONTINUE !

SALETÉ.

J'EN PEUX PLUS... MES DOIGTS, JE NE LES SENS PLUS.

JE M'EN FICHE ! /// CREUSE OU JE TE FAIS SAUTER LE CRÂNE !

HHRH.... HHR... HH...

AH... V... VOILÀ... HH...

CE... C'EST ICI... HHR...

48

N... NON... TU N'VAS PAS TI... TIRER ?

ÉCARTE-TOI.

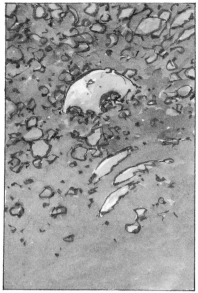

NON!... NOON! J'VEUX PAS...

...CE N'EST PAS VRAI... MA TOUTE PETITE... NOON...

HEY... NE DÉCONNE PAS!

49

BANG

53

50

HÉ, LES GARS! VISEZ-MOI CE QU'IL Y A DEVANT NOUS!

ÇA S'RAIT PAS PAR HASARD LE NÉGRO QU'ON CHERCHE?

BEN, VU D'ASSEZ PRÈS, ÇA Y RESSEMBLE.

REGARDE-MOI ÇA. J'SUIS SÛR QU'IL RÊVE D'UNE BIÈRE FRAÎCHE, LE NÉGRO.

PAS DE CHANCE, PAL. ON A TOUT BU.

RÉVÉREND TISSIER...

MON DIEU...

C'EST UNE TRISTE HISTOIRE, SERGENT. MONSIEUR ET MADAME AVAIENT UNE FILLE. GENTILLE... MAIS BIEN NAÏVE. UN JOUR ELLE TOMBA AMOUREUSE D'UN GARÇON, UN DE CES VAURIENS QUI COURENT LES JUPONS. QUAND ELLE LUI APPRIT QU'ELLE ÉTAIT ENCEINTE DE LUI, IL DISPARUT À JAMAIS.

JUSQU'AU JOUR FUNESTE OÙ ELLE DISPARUT À SON TOUR... MADAME ANDERSON FINIT PAR EN MOURIR DE CHAGRIN.

VOICI SA TOMBE ET CELLE DE LEUR FILLE. LA PETITE REPOSERA À LEURS CÔTÉS, SELON LE SOUHAIT DE MONSIEUR ANDERSON.

LA PAUVRE SUCCOMBA EN COUCHES MAIS LE BÉBÉ, UNE FILLE, PUT ÊTRE SAUVÉ. MONSIEUR ET MADAME ANDERSON L'ÉLEVÈRENT COMME LEUR PROPRE FILLE.

MAIS... QU'EN EST-IL DE MONSIEUR ANDERSON ?... A-T-IL ÉTÉ ARRÊTÉ ?...

ICI, C'EST LE MISSISSIPPI, MON RÉVÉREND. ET LE MISSISSIPPI RÈGLE SES AFFAIRES A' SA FAÇON.

BONNE JOURNÉE.

53

54

Postface

Au temps de Jim Crow

À la sortie de la guerre de Sécession, en 1865, le Sud se voit contraint d'affranchir tous ses esclaves, noirs pour la plupart. Ces derniers se retrouvent libres du jour au lendemain mais sans le sou ; certains s'engageront comme cow-boys, d'autres tenteront de trouver des petits boulots, mais la plupart resteront là où ils étaient, dans les plantations, troquant leur statut d'esclave contre un salaire de misère. Et si, sur papier, ils partagent désormais les mêmes droits que leurs concitoyens blancs, les États du Sud leur feront payer cher le prix de la liberté.

Après l'occupation des anciens États confédérés par l'armée de l'Union (Nord), les États du Sud établissent une série de lois, connues sous le sobriquet de « lois Jim Crow », qui réorganisent la société en deux groupes raciaux séparés, les Blancs et les Noirs. Ces lois ne seront d'application que dans le Sud. En 1896, la Cour suprême reconnaît le droit aux États qui le souhaitent de mettre en place une politique ségrégationniste en se référant à la doctrine du « separate but equal » (séparés mais égaux). Les États du Sud ont désormais les coudées franches et l'égalité

Lynchage de Jesse Washington, le 15 mai 1916, près de Waco au Texas (carte postale).

en droit dont jouissent prétendument les Noirs ne sera que théorique. Dans les faits, c'est une chape de plomb qui s'abat sur les populations noires du Sud et sur leurs droits. Après l'esclavage, un nouveau chemin de croix les attend, long, asphyxiant, terrifiant. Car le recours à la violence est systématique et le Ku Klux Klan veille au grain. Les lynchages se multiplient et font souvent l'objet de réjouissances populaires. Tout est prétexte à tabassage : un mot, un regard, un geste mal interprété. Ou le hasard qui vous fait croiser la route de Blancs éméchés. L'homme noir retrouve ses vieilles habitudes : il fait profil bas et baisse les yeux en espérant que cela suffise à lui éviter les ennuis. Sa survie est à ce prix.

QUELQUES TÉMOIGNAGES

J'ai gardé des souvenirs très marquants de l'époque où j'étais gosse en Floride. C'était dans les années 50, et de voir que les enfants noirs avaient des écoles taudis, des fontaines publiques délabrées et devaient vivre derrière une sorte de grand mur dans le centre de Miami m'incommodait profondément. Les adultes de race noire ne pouvaient se rendre dans notre quartier blanc sans carte d'identité. Et s'ils se trouvaient là lorsque la nuit était tombée, ils risquaient de se faire enlever par des jeunes toujours avides d'une bonne « chasse au Négro ».
Barbara Bradshow

Tous les hôtels étaient « White only » (Blancs uniquement). On regardait les films au cinéma depuis le balcon étiqueté « Colored » (de couleur). Des gens étaient battus, tués ou disparaissaient parce que le vote était réservé aux Blancs. Une ambulance « White only » ne pouvait répondre à une urgence « de couleur » ; l'entreprise de pompes funèbres locale noire fournissait ce service alors qu'elle n'en avait pas les qualifications.

Le plus horrible de mes souvenirs reste la mort non résolue de Wharlest Jackson dont la Chevrolet explosa alors qu'il s'apprêtait à rentrer chez lui. À sa sortie de prison, il avait été placé à travailler dans une usine de pneus. Un travail de Blancs.

ANONYME (NOIR)

Lynchage de Lige Daniels, le 3 août 1920, à Center au Texas (carte postale).

Cela semble plutôt comique aujourd'hui, mais c'est ce que nous faisions. On prenait la pissotière sur la banquette arrière de la voiture lorsqu'on partait rendre visite à la grand-mère au Tennessee. Mes parents n'ont jamais dû m'expliquer pourquoi, ce n'était pas nécessaire, même gosse je connaissais la réponse. Le vieux Jim Crow ne nous autorisait pas à utiliser les toilettes lorsque nous nous arrêtions prendre de l'essence. C'était d'ailleurs la seule halte que nous nous autorisions. Il n'aurait pas été prudent de faire autrement.

JERRY HUTCHINSON

J'ai vécu et grandi en Louisiane dans les années 50 et 60. Je n'ai jamais rencontré de Blancs sympas ou aimables. Ma grand-mère qui m'a éduqué faisait des ménages pour la femme du directeur du conseil scolaire de notre ville. Alors que je me préparais à entrer au collège (après 18 ans aux USA), la femme du directeur est venue la voir afin de la persuader de ne pas m'y envoyer. Elle lui a dit que je n'avais pas besoin de faire d'études.

TRANE WASHINGTON

J'ai un oncle qui fut impliqué dans un grave accident de la route en 1949 (en Caroline du Nord). Il roulait à vélo et un automobiliste le percuta violemment. Il fut emmené à l'hôpital pour les Noirs et mes parents appelèrent un docteur blanc pour le soigner. Le docteur répondit qu'il allait venir. Il était environ onze heures ou midi. Alors qu'il n'arrivait toujours pas, mes parents appelèrent cette fois le docteur noir qui leur répondit qu'il ne pouvait se substituer au docteur blanc car ils l'avaient appelé d'abord et c'eût été lui faire offense que de passer avant lui. Pourtant, le médecin noir et mon oncle étaient des amis très proches, mais il refusa de venir parce qu'il n'avait pas été appelé en premier lieu et que cet honneur échut à un docteur blanc. Mes parents attendirent donc le docteur blanc et finalement, après huit à dix heures d'attente, il arriva, ausculta mon oncle et partit. Deux heures plus tard, mon oncle était mort.

À cette époque, quand on voyageait, on logeait dans une pension dans le quartier noir d'une ville. Les hôtels étaient inaccessibles aux gens de couleur. C'était comme ça dans le Sud et le Midwest. Pour manger, c'était la même chose, il fallait sortir de la grand-route, trouver le quartier noir et le café local pour y manger sur le pouce.

GEORGE K. BUTTERFIELD JR

En 1961, j'avais 9 ans. C'était l'été et le moment de prendre la route qui menait de la Californie à la Louisiane. La famille voulait une dernière fois voir l'arrière-grand-mère Cornelia qui se mourait d'un cancer à l'âge de 106 ans. Mon oncle Gus avait acheté sa nouvelle Chrysler spécialement pour le voyage. Il n'y avait pas d'autoroutes en ce temps-là, seulement la Route 66. Arrivés au Texas, nous nous arrêtâmes dans une station-service qui possédait également un petit restaurant.

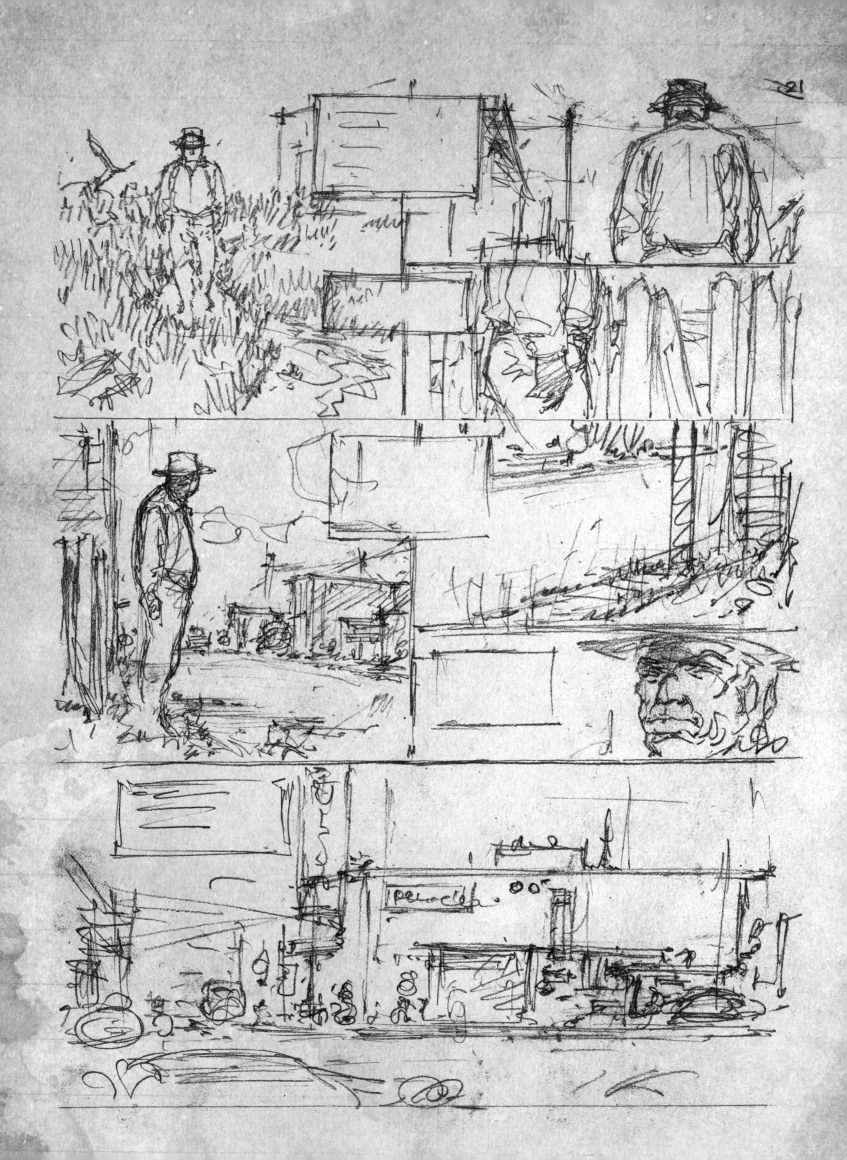

Quand nous nous installâmes à une table, le gérant apparut immédiatement pour nous apprendre qu'ils ne servaient pas les Noirs : «Vous devez vous installer à l'arrière de la station. C'est là que nous servons les Nègres.» Plus il parlait, plus il s'agitait : «Ici, c'est le Texas. Je vois que votre plaque de Yankee est immatriculée en Californie. Vous savez qu'on tue les Nègres ici dans cette ville. Maintenant, vous levez vos culs jusqu'à la porte arrière ou j'appelle la police.» [...] Lorsque nous nous apprêtâmes à reprendre la route après avoir fait le plein, le gérant marcha vers nous. D'une voix plus douce presque tamisée mais claire, il dit à mon oncle : «Mec, je vais te donner un conseil d'ami. Vous, les Nègros, vous feriez mieux d'être loin de cette ville à la nuit venue. Je voudrais pas qu'il arrive quelque chose à ta famille. Je peux pas t'en dire plus mais à la nuit tombée, t'as intérêt à plus être ici.» [...]

Oncle Gus prit une mauvaise direction par accident et nous dûmes rebrousser chemin. C'est ainsi qu'on s'est retrouvés au milieu d'une ville, peut-être Waco mais je ne suis pas sûr. Devant nous, il y avait un rassemblement de Blancs. On ne comprenait pas ce qui se passait. Peut-être un cirque, qu'on se dit. Il y avait bien 500 personnes, hommes, femmes et enfants. Gus ralentit quelque peu l'allure. C'est à ce moment-là que nous les entendîmes crier : «Tuez le Négro!» Nous vîmes alors une personne en feu attachée à une grande roue au milieu de la rue. Elle était vivante et criait de douleur. L'odeur de chair brûlée nous parvenait jusqu'aux narines. Oncle Gus écrasa sa pédale de freins et fit faire un tour complet à sa voiture, ce qui attira l'attention de la foule

Lynchage d'un homme non identifié, 1925.

sur nous. Je me souviens d'avoir entendu quelqu'un crier : «Là, il y a encore des Négros, attrapons-les!»

Nous pouvions voir les gens se ruer sur leurs voitures. À cet instant, mon oncle tournait derrière le coin d'une rue et filait aussi vite qu'une grosse Chrysler pouvait aller. Il éteignit les phares et poursuivit dans le noir pendant cinq bonnes minutes jusqu'à ce qu'il s'engouffre dans ce qui devait être une sorte de sentier forestier. Il était temps. Une colonne de voitures passa devant nous et notre cachette providentielle, suivie de voitures de police toutes sirènes hurlantes. [...] Nous restâmes dans notre cachette durant environ quatre heures, ce qui nous sembla une éternité. [...] Je ne suis plus jamais retourné à Waco, sinon dans mes cauchemars.

JOSEPH HOLLOWAY

Nous étions dans le bus. Une fillette de race blanche avec une longue et jolie queue de cheval monta à bord. Je dis à mon père : «Cette fille a de jolis cheveux.» Mon père me dit de me taire immédiatement. De retour à la maison, il commença à m'engueuler : «Ignores-tu qu'on pourrait te tuer, te lyncher pour avoir tenu ce genre de propos en public?!!»

JAMES NIX

La ségrégation légale prit fin en 1954 suite à un arrêt de la Cour suprême dans l'affaire Brown vs Board en 1954 qui déclara la ségrégation illégale dans le système d'éducation publique des États-Unis. Sa lente élimination fut compliquée par les forces réactionnaires dans le Sud et dura près de deux décennies. Pour autant, la ségrégation de facto persiste encore aujourd'hui, en particulier dans certaines zones résidentielles.

Yves H.

HERMANN
Dessinateur

Remarqué par Greg, Hermann est engagé au studio du maître qui écrit pour lui *Bernard Prince*, la série qui établira d'emblée son talent incontestable dans la veine réaliste.

Après un détour par la série *Jugurtha*, dont il dessinera les deux premiers albums, Hermann entreprend une nouvelle série avec Greg, *Comanche*, où il va révéler son art du cadrage. Dix ans plus tard, un large et fidèle public le suit dans sa première série solo *Jérémiah*. Attiré par l'Histoire, il crée dès 1982 *Les Tours de Bois-Maury*, une grande fresque médiévale.

Exigeant, curieux, bosseur, Hermann ne s'accorde aucune facilité. Enclin à placer la barre toujours plus haut, il signe son premier one-shot, *Missié Vandisandi*. Cet album sera pour lui le prélude à parler de sujets aussi divers que variés, poussant toujours plus loin ses exigences en matière de dessin et de scénario.

YVES H.
Scénariste

Né à Bruxelles en 1967, Yves H. a toujours rêvé de devenir, comme son père Hermann, un auteur de BD. En 1995, il écrit, dessine et publie chez Dupuis, *Le Secret des Hommes-Chiens*, sa première bande dessinée. Mais, s'estimant avant tout narrateur, il opte ensuite, sur les encouragements de son père, pour une carrière de scénariste.

Liens de sang, leur coup d'essai Signé en duo pour Le Lombard, se révèlera un coup de maîtres. L'auteur a confirmé l'efficacité de cette complicité filiale avec 5 autres albums signés Yves H. et Hermann, dont leur dernière collaboration en date, *Old Pa Anderson*.

OUVRAGES D'HERMANN

Aux Éditions du Lombard
BERNARD PRINCE : 13 TITRES
ET 2 INTÉGRALES (avec Greg)
COMANCHE : 15 TITRES ET 2 INTÉGRALES
(avec Greg)
JUGURTHA : 2 TITRES (avec Laymillie)
LA VIE EXAGÉRÉE DE L'HOMME NYLON
(avec Kirstein)

Dans la collection « Signé »
AFRIKA
CAATINGA
LIENS DE SANG (avec Yves H.)
MANHATTAN BEACH 1957 (avec Yves H.)
OLD PA ANDERSON (avec Yves H.)
SANS PARDON (avec Yves H.)
STATION 16 (avec Yves H.)
THE GIRL FROM IPANEMA (avec Yves H.)

Aux Éditions Casterman
SUR LES TRACES DE DRACULA,
VLAD L'EMPEREUR
(avec Yves H.)

Aux Éditions Dupuis
JÉRÉMIAH : 34 TITRES ET 7 INTÉGRALES
NIC : 3 TITRES (avec Morphée)

Dans la collection « Aire Libre »
LE DIABLE DES SEPT MERS : 2 TITRES
(avec Yves H.)
LUNE DE GUERRE (avec J. Van Hamme)
MISSIÉ VANDISANDI
ON A TUÉ WILD BILL
SARAJEVO-TANGO
ZHONG GUO (avec Yves H.)

Aux Éditions Glénat
ABOMINABLE
LES TOURS DE BOIS-MAURY : 15 TITRES
RETOUR AU CONGO (avec Yves H.)
UNE NUIT DE PLEINE LUNE (avec Yves H.)

OUVRAGES D'YVES H.

Aux Éditions du Lombard
BERNARD PRINCE, MENACE SUR LE FLEUVE
(avec Hermann)

Dans la collection « Signé »
LIENS DE SANG (avec Hermann)
MANHATTAN BEACH 1957 (avec Hermann)
OLD PA ANDERSON (avec Hermann)
SANS PARDON (avec Hermann)
STATION 16 (avec Hermann)
THE GIRL FROM IPANEMA (avec Hermann)

Aux Éditions Casterman
SUR LES TRACES DE DRACULA : 3 TITRES
(avec Hermann, Séra et Dany)

Aux Éditions Dupuis
LE SECRET DES HOMMES-CHIENS

Dans la collection « Aire Libre »
LE DIABLE DES SEPT MERS : 2 TITRES
(avec Hermann)
ZHONG GUO (avec Hermann)

Aux Éditions Glénat
LES TOURS DE BOIS-MAURY : 3 TITRES
(avec Hermann)
RETOUR AU CONGO (avec Hermann)
UNE NUIT DE PLEINE LUNE (avec Hermann)